社会人
常識マナー
検定

第1版

ジャパン　ベーシック
Japan Basic

はじめに

このテキストは、公益社団法人 全国経理教育協会が主催する「社会人常識マナー検定 Japan Basic」の受験者を対象とした学習教材です。社会人常識マナー検定は、次の三つの基本を学び、身につけるための試験です。

① 日本の会社で働くときに知っておいたほうがよい社会常識
② 人と接するときに、良い印象を持ってもらえる言葉づかいや態度などのコミュニケーション能力
③ 仕事をするときに知っておいたほうがよいビジネスマナー

日本には、魅力や良い点がたくさんあります。商品の技術レベルはとても高いですし、サービスやおもてなしは世界一といわれます。みなさんが日本の会社で働くと、こうした高いレベルの技術やノウハウを学ぶことができます。日本で働くことは、みなさんにとって、非常に良い学習の機会になるはずです。

ただ、みなさんの国とはルールや習慣に違いがあるため、日本の会社で働きはじめると、困ったり、とまどったりすることが出てくると思います。とくにビジネスマナーは、日本特有のやり方が多く、外国人の方がすぐに理解するのは難しいといわれます。

その点、『社会人常識マナー検定 Japan Basic』はわかりやすくポイントを解説していますので、このテキストを使って学習すれば、すぐに内容を理解できるようになるはずです。外国人の方が日本のビジネスマナーを学ぶには、最良の教材だと思います。

このテキストで、日本で必要とされるビジネスマナーをしっかりと理解し、一人でも多くの人に、日本の会社で活躍してもらえることを心から期待しています。

CONTENTS 目次

第3編 ビジネスマナー …… 69

第1章 職場のルールとトラブル

第2章 仕事をスムーズに行うためのビジネスマナー

第3章　日常生活のマナー

本書の使い方

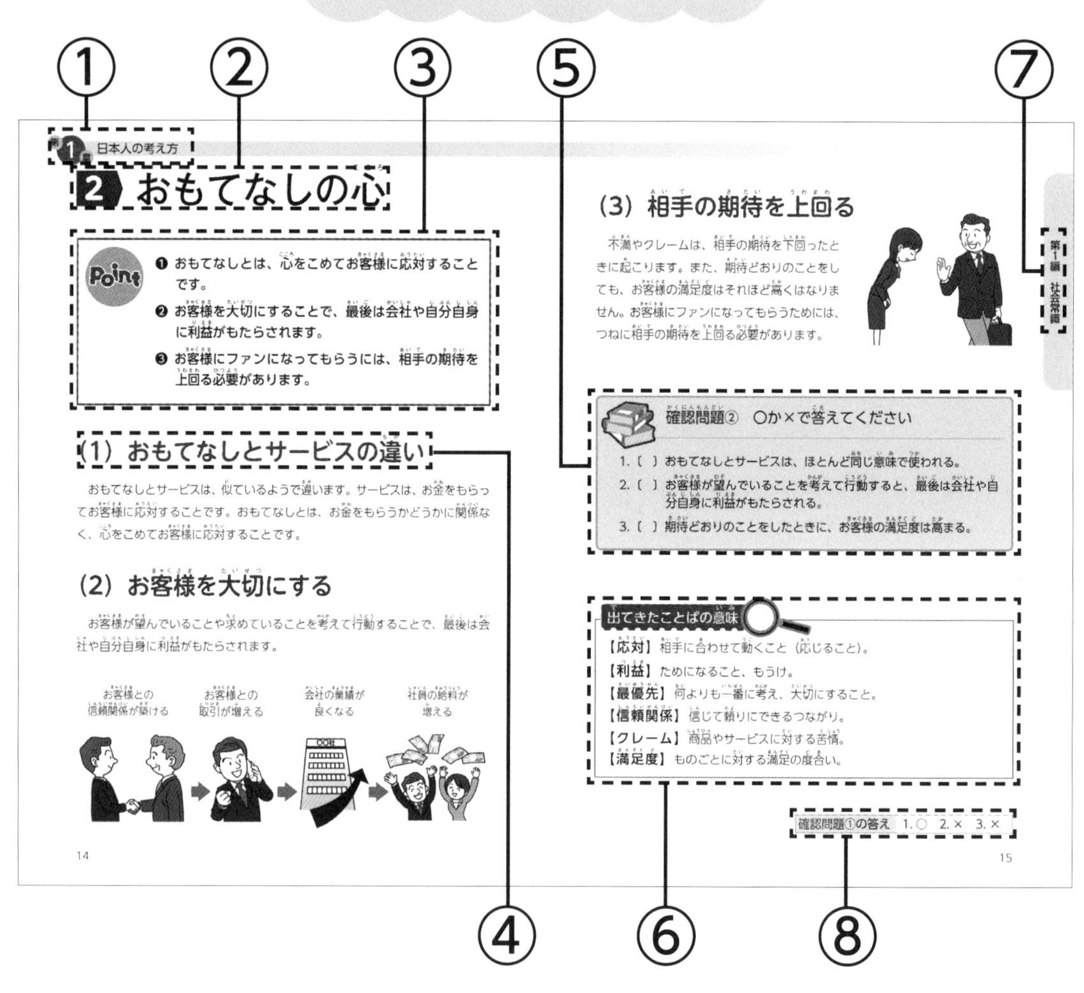

第1章 日本人の考え方

2 おもてなしの心

Point
❶ おもてなしとは、心をこめてお客様に応対することです。
❷ お客様を大切にすることで、最後は会社や自分自身に利益がもたらされます。
❸ お客様にファンになってもらうには、相手の期待を上回る必要があります。

(1) おもてなしとサービスの違い

おもてなしとサービスは、似ているようで違います。サービスは、お金をもらってお客様に応対することです。おもてなしとは、お金をもらうかどうかに関係なく、心をこめてお客様に応対することです。

(2) お客様を大切にする

お客様が望んでいることや求めていることを考えて行動することで、最後は会社や自分自身に利益がもたらされます。

お客様との信頼関係が築ける
お客様との取引が増える
会社の業績が良くなる
社員の給料が増える

14

(3) 相手の期待を上回る

不満やクレームは、相手の期待を下回ったときに起こります。また、期待どおりのことをしても、お客様の満足度はそれほど高くはなりません。お客様にファンになってもらうためには、つねに相手の期待を上回る必要があります。

確認問題② ○か×で答えてください
1.( ) おもてなしとサービスは、ほとんど同じ意味で使われる。
2.( ) お客様が望んでいることを考えて行動すると、最後は会社や自分自身に利益がもたらされる。
3.( ) 期待どおりのことをしたときに、お客様の満足度は高まる。

出てきたことばの意味
【応対】相手に合わせて動くこと(応じること)。
【利益】ためになること、もうけ。
【最優先】何よりも一番に考え、大切にすること。
【信頼関係】信じて頼りにできるつながり。
【クレーム】商品やサービスに対する苦情。
【満足度】ものごとに対する満足の度合い。

確認問題①の答え 1.○ 2.× 3.×

第1編 社会常識

15

① 章の番号と、テーマ
② 節の番号と、この節で学ぶテーマ
③「Point」:この節で学ぶ内容を簡単にまとめています。
④ この節の中で学ぶ、細かいテーマ
⑤「確認問題」:この節で学んだことが身についたかを確認するためのテストです。解答は、次の節の最後のページにあります。
⑥「出てきたことばの意味」:本文に出てきた、少し難しい言葉の意味を説明しています。
⑦ 編の番号と、テーマ
⑧ 前の節の「確認問題」の答え

第1編

社会常識

日本で働くときに、知っておいたほうがよいことがあります。
日本人のものの考え方や、季節ごとの行事、仕事を探すときに
必要なことを学びます。

1 和の精神

❶ 日本人は、人との調和を大切にする「和の精神」を持っています。

❷ 日本の企業で働くために必要なことは、相手の気持ちを考えることです。

❸ 職場で信頼されるためには、感謝の気持ちを持つことが大切です。

日本人は、人との調和を大切にする「和の精神」を持っています。そのため、できるだけ対立をしないよう、相手の気持ちを大切に考えようとします。

(1) 相手のことを考える

「働く」という字は、「人」と「動く」が合わさっています。自分のことだけを考えるのではなく、同じ会社の人やお客様が、どうしたら喜んでくれるかを考えて動くことが、「働く」ということです。

(2) 約束を守る・時間を守る

相手との良い関係を保つために、約束を守ること・時間を守ることを大切に考えます。「これは私がします」と約束をしたら、必ず最後までやりとげようとします。「○○時に来てください」と言われたら、遅刻をしないために早めに着くようにします。

(3) 人に好感（良い印象）を与える

職場では誰にでも自分から笑顔であいさつをし、清潔な身だしなみを心がけ、お互いが気持ちよく働けるように気をつけます。

(4) 人を尊重する（大切に思う）

敬語で話し、相手を敬う気持ちが伝わるような態度をとることで、相手から「安心してお願いできる」「あなたなら大丈夫！」と信頼されるようになります。

(5) 感謝の気持ちを持つ

勤務時間中は、まじめに仕事に集中します。職場のルールを理解し、守ります。職場では、多くの人がそれぞれのやるべき仕事をして、力を合わせることで良い仕事ができます。まわりの人の助けがあるからこそ仕事ができることを理解して、感謝の気持ちを忘れないようにしましょう。

日本人と働くうえでは、こうした特性をしっかり理解しておきましょう。
日本の企業で働くためには、マナーを身につけることが重要になります。

確認問題① ○か×で答えてください

1. 〔 〕日本人は、人との調和を大切にする「和の精神」を持っている。
2. 〔 〕約束の時間には、少しくらいなら遅れても問題はない。
3. 〔 〕仕事が忙しいときは、まわりの人のことは考えなくてもよい。

出てきたことばの意味

【調和】全体がまとまっていること。
【対立】二つのものが反対の立場になっていること。
【約束】お互いに取り決めをすること。
【清潔】汚れがなく、きれいなこと。
【身だしなみ】髪や服装をきちんとすること。
【心がける】いつも考えて忘れないようにすること。
【敬語】相手への敬意を表すていねいな言葉づかい。
【重要】とても大切なこと。
【敬う】自分より上位の者を大切に思い、礼をつくすこと。
【尊重】尊いものとして大切に扱うこと。
【感謝】ありがたいと思うこと。
【特性】そのものだけが持つ性質。

2 おもてなしの心

❶ おもてなしとは、心をこめてお客様に応対することです。

❷ お客様を大切にすることで、最後は会社や自分自身に利益がもたらされます。

❸ お客様にファンになってもらうには、相手の期待を上回る必要があります。

(1) おもてなしとサービスの違い

おもてなしとサービスは、似ているようで違います。サービスは、お金をもらってお客様に応対することです。おもてなしとは、お金をもらうかどうかに関係なく、心をこめてお客様に応対することです。

(2) お客様を大切にする

お客様が望んでいることや求めていることを考えて行動することで、最後は会社や自分自身に利益がもたらされます。

お客様との信頼関係が築ける → お客様との取引が増える → 会社の業績が良くなる → 社員の給料が増える

(3) 相手の期待を上回る

不満やクレームは、相手の期待を下回ったときに起こります。また、期待どおりのことをしても、お客様の満足度はそれほど高くはなりません。お客様にファンになってもらうためには、つねに相手の期待を上回る必要があります。

確認問題② ○か×で答えてください

1. 〔 〕おもてなしとサービスは、ほとんど同じ意味で使われる。
2. 〔 〕お客様が望んでいることを考えて行動すると、最後は会社や自分自身に利益がもたらされる。
3. 〔 〕期待どおりのことをしたときに、お客様の満足度は高まる。

出てきたことばの意味

【応対】 相手に合わせて動くこと(応じること)。
【利益】 ためになること、もうけ。
【最優先】 何よりも一番に考え、大切にすること。
【信頼関係】 信じて頼りにできるつながり。
【クレーム】 商品やサービスに対する苦情。
【満足度】 ものごとに対する満足の度合い。

確認問題①の答え	1. ○ 2. × 3. ×

1 日本の年中行事

❶ 日本では、一年を通してさまざまな年中行事が行われます。

❷ 代表的なものとしては、「お正月」「成人式」「ひな祭り」「こどもの日」「ゴールデンウィーク」「母の日」「父の日」「七夕」「お盆」「七五三」「クリスマス」「大晦日」があります。

日本には「春」「夏」「秋」「冬」という四季があり、自然の移り変わりを感じながら日々を過ごしています。一般的に、春は3月～5月、夏は6月～8月、秋は9月～11月、冬は12月から2月となります。

日本の四季

春

夏

秋

冬

日本では、一年を通してさまざまな年中行事が行われます。年中行事とは、毎年季節や特定の時期に行われる行事のことです。代表的な年中行事には、次のものがあります。

（1）お正月

日本では、年明けの1月1日から7日までをお正月といいます。お正月の過ごし方は地域や人によって違いますが、家族や親せきと初詣に行ったり、家で静かに過ごしたりする人が多いです。

1年で最初の日である1月1日のことを「元日」といいます。

新年の始まりであるお正月には、歳神様が各家庭を訪問するという考え方があります。新しい年の安らかな生活と繁栄をもたらす歳神様を招き入れるため、家の玄関には門松やしめ飾り、部屋の中には鏡餅を飾ります。これらを「正月飾り」といいます。

●門松

家の門の前に飾り、正月に歳神様が家に降りてくるときの目印となります。

●しめ飾り

玄関のドアに飾ります。古い年の災いを締め出し、新しい災いが家の中に入らないよう魔除けにもなるといわれます。

●鏡餅

床の間や、家族が集まる居間に飾ります。歳神様へのお供えものです。

(2) 成人式

成人式とは、成人式を行う年度内に満20歳となる人々を、各日本の地方公共団体ごとに主に1月第2月曜日に激励・祝福する行事のことです。

(3) ひな祭り

3月3日に、女の子が健やかに育つことを願って行う行事です。家の中にひな人形を飾るのが一般的です。

(4) こどもの日

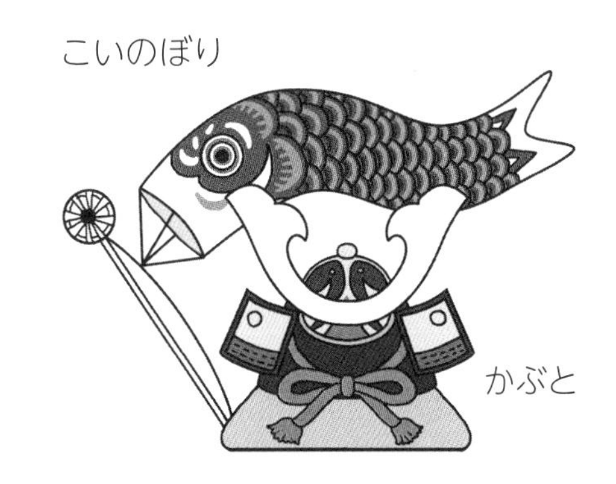

5月5日に、子どもが健やかに育ったことをお祝いします。「こいのぼり」や「かぶと」を飾るのが一般的です。なお、この日は国民の祝日です。

(5) ゴールデンウィーク

4月末から5月初旬にかけて、祝日が続いて連休になる期間をゴールデンウィークといいます。連休の日数は年によって違います。

(6) 母の日 / 父の日

●**母の日(5月の第2日曜日)**

お母さんに日頃の感謝の気持ちを伝える日です。カーネーションをプレゼントするのが一般的です。

●**父の日(6月の第3日曜日)**

お父さんに日頃の感謝の気持ちを伝える日です。

(7) 七夕

7月7日に細く長く切った紙の短冊に願いごとを書いて笹に飾ることで、物事の上達を願います。

(8) お盆

先祖や亡くなった人たちを供養する仏教の行事です。お盆の期間は地域によって違いますが、基本的には８月13日から16日までの４日間です。お盆には、亡くなった人を思い出して、会いに行く気持ちでお墓参りをします。

(9) 七五三

７歳、５歳、３歳の子どもの成長を祝う行事です。11月15日に子どもに晴れ着を着せて、神社でお参りをするのが一般的です。

(10) クリスマス

クリスマスは、12月25日に行われるキリスト教のお祭りです。前日の12月24日をクリスマスイブといいます。日本でも、クリスマスの時期はパーティーやイベントが盛大に行われます。

(11) 大晦日

一年の最後の日である12月31日を大晦日といいます。この日は、新しい年を迎える行事やイベントが行われます。また、大晦日の夜には「年越しそば」を食べるのが一般的です。

確認問題③　○か×で答えてください

1. 〔　〕日本では、お正月に家族や親せきと過ごす人が多い。
2. 〔　〕ゴールデンウィークは、必ず9連休になる。
3. 〔　〕お盆の期間は、8月13日から16日までが基本である。

出てきたことばの意味

【一般的】 広く全体に通じていること。

【初詣】 お正月に神社や寺にお参りに行くこと。

【年度】 「年」とは1月1日から12月31日までの暦年の1年間のこと。「年度」は、暦年とは異なる区分で定めた期間のことを指す。年度の期間で一般的なのは、「4月1日 ～ 翌年3月31日」までの1年間のこと。

【健やか】 心も体も元気なこと。

【供養】 亡くなった人の霊に花や食べ物などを供えて祈ること。

確認問題②の答え	1. ×	2. ○	3. ×

2 就職活動 留学生向け

❶ 日本の就職活動は、入社する前の年の３月から始めるのが一般的です。

❷ 留学生の就職活動においては、高い日本語能力が求められます。

❸ 留学生は、提出書類や面接で日本語の能力がチェックされます。

(1) 日本の就職活動の特徴

世界の多くの国では９月に入社するのが一般的ですが、日本では３月に学校を卒業したあと４月から働き始めます。そして就職活動は、入社する前の年の３月から始めるのが一般的です。大学３年生、専門学校１年生の３月から就職活動が始まりますので、早めの準備が必要です。

(2) 求められる能力

1. 日本語能力

日本で就職活動をする留学生には、高い日本語の能力が求められます。一般的に、日本語能力試験（JLPT）の場合はＮ２以上が必要です。

2. コミュニケーション能力

自分の意見や考え方を正確に伝え、相手の話していることを正しく理解できることが大切です。

3. 主体性

指示されたことだけをして、指示を待つのではなく、自分で考えて動くことで会社の役に立つ仕事をしましょう。仕事に必要な知識や技能を学び続けることも大切です。

(3) 提出する書類

会社の求人に応募するときは、必ず履歴書を提出します。履歴書のほかに、エントリーシートの記入を求められることも多いです。

履歴書やエントリーシートの文章で、みなさんの日本語の能力がチェックされますので、漢字や文法を間違えないよう注意しましょう。

【履歴書に関する注意事項】

①丁寧に字を書くこと
②送り状を同封すること
③履歴書の証明写真を再利用はしないこと
※証明写真はリクルートスーツを着て、身だしなみを整えて撮影してください。

【エントリーシートの質問例】

・自己PRを書いてください
・学生時代に力を入れたことは何ですか
・志望動機を書いてください

(4) 面接

就職活動でもっとも大切なのが面接です。面接とは、性格や能力を知るために、会って話しをすることです。面接は、一つの会社で２～３回行われるのが一般的です。面接で日本語の能力がチェックされますので、どんな質問を受けても答えられるように準備をしましょう。

【面接の質問例】

・あなたの強みは何ですか？
・なぜ日本に来たのですか？
・ずっと日本で働くつもりですか？

(5) 内定

日本の多くの企業は４月入社ですが、社員採用はその前の年に行うことが多く、入社する前の年から就職活動を始めます。企業は採用したい学生に「内定通知書」を出します。学生は「内定承諾書」を提出することで入社が決定します。

(6) 役に立つウェブサイト

次のウェブサイトは外国人および留学生を支援していますが、日本人向けの一般就職支援サイトを活用することもできます。たくさんの情報を調べることは大切です。

❶ 東京外国人雇用サービスセンター

外国人と留学生の就職を支援しています。大阪・名古屋・福岡などの地域の雇用サービスセンターのリンクもあります。

https://jsite.mhlw.go.jp/tokyo-foreigner/

❷ リュウカツ

外国人留学生の就職を支援しています。企業の求人情報を直接見ることができます。

https://ryugakusei.com

❸ 留学生就職支援ネットワーク

就職対策やビジネス日本語の情報も提供されていますが、留学生就職支援ネットワークに加盟した大学の留学生だけが使用することができます。

https://www.ajinzai-sc.jp

これらのサイトのURLは、予告なく変更される場合があります。

確認問題④　○か×で答えてください

1. 〔　〕日本の就職活動は、学校を卒業してから行うのが普通である。
2. 〔　〕留学生は、日本語能力試験（JLPT）のN３以上の日本語能力が求められる。
3. 〔　〕面接は、通常１回のみで終わることが多い。

出てきたことばの意味

【就職活動】 入社試験に合格するためのさまざまな準備や行動。

【日本語能力試験（JLPT）】 一年に２回行われる日本語の試験。N1からN5まで5つのレベルがある。

【主体性】 自分の意志や判断に基づき、責任を持って行動すること。

【履歴書】 これまでの学業や仕事の内容、持っている資格などを書いた書類。

【エントリーシート】 入社を希望する人がどんな人物なのかを知るために、企業が書かせる書類。

【履歴書の送り状】 履歴書を送るときに受取人に対して書いたあいさつ文書。

【自己PR】 自分をアピールする言葉のこと。

【内定】 内々で決まること。就職活動においての内定は、学生などが「卒業後は御社（あなたの会社）で働く」「卒業後はあなたを我が社（私の会社）で雇用する」という労働契約のこと。

【承諾】 相手の意見・希望・要求などを聞いて、受け入れること。

【雇用】 働いてもらうために、賃金をはらって人を雇う（使う）こと。

気づいたことを、メモしましょう。

確認問題③の答え	1. ○　2. ×　3. ○

3 在留資格 留学生向け

❶ 留学生のみなさんが就職するときは、現在の在留資格を、日本で働くことが許される在留資格に変えなければなりません。

❷ 在留資格の変更の手続きは、働く会社によって提出する書類が違います。

❸ 学校を卒業できなかったり、学校で勉強した内容と仕事の内容に関連がなかったりすると、在留資格の変更が認められなくなります。

(1) 在留資格の変更の必要性

留学生のみなさんが就職するときは、現在の在留資格を、日本で働くことが許される在留資格に変更しなければなりません。留学生が就職するときは、「技術・人文知識・国際業務」という在留資格に変更する人が多いです。

(2) 在留資格の変更の手続き

在留資格を変更するときは、必要な書類を出入国在留管理庁に提出します。提出する書類の内容は、働く会社によって違いますので、就職が決まったら、どんな書類が必要か出入国在留管理庁に確認しましょう。

(3) 在留資格が変更されないケース

在留資格の変更が認められないケースには次のようなものがあります。

・学校を卒業できなかった
・就職する会社の経営状態が悪い
・学校で勉強した内容と仕事の内容に、あまり関連がない

(4) 在留資格の種類（一部）

日本に滞在する目的や行う活動など、実際の状況によって在留資格の内容が変わります。

1. 職業に関する資格

① **「技術・人文知識・国際業務」**：日本の公私の機関との契約に基づいて行うその分野に属する技術もしくは知識を要する業務、または外国の文化に基盤を有する思考もしくは感受性を必要とする業務に従事して活動するとき。

② **「介護」**：外国人の介護福祉士が日本で仕事をするとき。

③ **「経営・管理」**：日本で会社を経営する、または管理するとき。

④ **「特定技能1号・2号」**：2019年4月から始まった新しい在留資格で、決められている特定産業分野で仕事をするとき。

2. 滞在するための資格

① 「家族滞在」：在留資格を持っている外国人が扶養している配偶者・子供。親は対象外。

② 「特定活動」：法務大臣が個々の外国人について特に指定する活動。例えば、学校を卒業して在留期間が切れてしまう前に、就職活動をするため、特別に許可を申請するとき。

③ 「短期滞在」：一時的に親族を日本へ招待するとき。

詳しいことは、出入国管理庁のホームページで調べましょう。

(5) そのほかに注意すること

書類を提出してから、審査の結果が出るまでには１か月～３か月かかることが多いです。そのため書類の準備は早めに行いましょう。

① 在留資格変更書類を提出後、場合によって追加資料を要求されることがありますので、変更申請期間は不要不急なことで日本を出国しないようにしてください。

② 就職の在留資格を取得すると、正式入社日までの間、一般的にアルバイトをすることができません。

③ 就職した後、一年未満で退職する場合、日本では再就職がとても厳しくなります。退職するときはすぐに出入国在留管理庁に報告してください。再就職についても出入国在留管理庁に報告する必要があります。

⑤ 在留カードを紛失した場合、警察に紛失届を提出し、出入国在留管理庁に再発行申請を出します。

⑥ 在留資格について質問があるときは、出入国在留管理庁インフォメーションセンターで相談することができます。事前に電話で必要な書類を確認していきましょう。

(6) 役に立つウェブサイト

1. 入国管理局（入国在留管理庁）

❶ 入国管理局（出入国在留管理庁）の公式ホームページ

http://www.moj.go.jp/isa/

❷ 在留資格一覧表

在留資格種類に関する説明を見ることができます。

http://www.moj.go.jp/isa/applications/guide/qaq5.html

❸ 各種手続き案内

在留資格の変更・更新をはじめ、永住権の申請など、各種の手続きの案内を確認できます。

http://www.moj.go.jp/isa/applications/guide/

❹ 出入国在留管理庁インフォメーションセンター

全国各地の出入国在留管理庁の住所や電話番号を掲載しています。地域の名前をクリックすれば、もっと詳しい情報を見ることができます。

http://www.moj.go.jp/isa/consultation/center/index.html

2. 法務省：在留資格変更許可申請

❶ 在留資格変更許可申請するときに必要な書類の説明です。

http://www.moj.go.jp/ONLINE/IMMIGRATION/16-2.html

❷ 各種在留資格変更許可申請の書類をダウンロードすることができます。

http://www.moj.go.jp/ONLINE/IMMIGRATION/16-2-1.html

❸ 外国人生活支援ポータルサイト

各種言語対応の「生活・就労ガイドブック」を見ることができます。

http://www.moj.go.jp/isa/support/portal/index.html

3. 東京都国際交流委員会リビングインフォメーション

外国人に向けて、日本に住むときの手続きをはじめ、税金、年金・医療保険、暮らし情報、外国人のための相談するところなどたくさんの情報を提供しています。

https://www.tokyo-icc.jp/guide_easy/index.html

これらのサイトのURLは、予告なく変更される場合があります。

確認問題⑤　○か×で答えてください

1. 〔　〕在留資格の変更手続きのために提出する書類は、どの会社に就職する場合でも同じ内容である。
2. 〔　〕就職する会社の経営状態が悪いと、在留資格の変更は認められない。
3. 〔　〕在留資格の変更手続きは、書類を提出すればすぐに結果が出る。

出てきたことばの意味

【在留資格】 外国人が日本に滞在するために必要な資格。
【出入国在留管理庁】 外国人に在留資格を与えるかどうか審査する機関。
【経営状態が悪い】 会社がつぶれそうなこと。倒産しそうなこと。

確認問題④の答え	1. ×　2. ×　3. ×

確認問題⑤の答え　1. ×　2. ○　3. ×

第2編

コミュニケーション

人と仕事をするときは、うまくコミュニケーションを取ることが大切です。良い印象を与える言葉づかいや態度、文書やメールを書くときの注意点などを学びます。

1 コミュニケーションの基本

❶ コミュニケーションは世界中のどんな人にも必要です。

❷ コミュニケーションが足りないと、ミスやトラブルが起こったり、お互いの信頼関係がなくなったりします。

❸ 良いコミュニケーションをとるために、5W1Hで話すように心がけましょう。

(1) コミュニケーションとは

コミュニケーションとは、お互いがわかり合うために、相手の気持ちや考えを確認することです。

言葉・表情・しぐさ・文字 →

考え・情報・気持ち

← 言葉・表情・しぐさ・文字

「話し手」と「聞き手」が双方向で行うものであり、伝えたい事柄（情報・考え・気持ちなど）を理解し合うことです。

コミュニケーションは、国籍や場面に関係なく、世界中のどんな人にも必要です。コミュニケーションの方法には、次のようなものがあります。

1. 言葉を使ったコミュニケーション

⇒ 会話、電話、手紙、メール、SNS

2. 言葉を使わないコミュニケーション

⇒ 表情、目線、しぐさ、ジェスチャー

(2) コミュニケーションの大切さ

仕事中、メンバーとのコミュニケーションが不足すると次のようなことが起こります。

① ミスやトラブルが起こる。
② お互いの信頼関係がなくなる。
③ お客様に迷惑をかける。

このようなことにならないように、仕事で関わる人とは、普段からしっかりコミュニケーションをとる必要があります。

(3) コミュニケーションの方法

5W1Hを入れると話が伝わりやすくなります。コミュニケーションを正しく進めるために、5W1Hを入れて話すよう心がけましょう。

5W1H		例
When	いつ	先週
Where	どこで	A 社で
Who	誰が	佐藤マネージャーが
What	なにを	プレゼンテーションを
Why	なぜ	新製品の説明をするため
How	どのように	実際に商品を見せながら行った

(4) 感じの良い話し方・聞き方

1. 話し方

話をするときは、背筋を伸ばして姿勢よく、わかりやすい言葉で、具体的に図・表・写真などを活用して、熱意をもって話すようにしましょう。

2. 聞き方

あ　相手の顔を見て
い　一生懸命（メモをとりながら）
う　うなずきながら
え　笑顔で
お　おわりまで聞きましょう。

確認問題① ○か×で答えてください

1. 〔　〕言葉を使ったコミュニケーションの中には、SNS は含まれない。
2. 〔　〕メンバーとのコミュニケーションが不足すると、お客様にも迷惑をかけてしまう。
3. 〔　〕5W1H の「Where」とは、場所のことである。

出てきたことばの意味

【表情】気持ちが顔にあらわれたもの。

【しぐさ】何かをするときの体の動き。

【双方向】情報の流れが一方からだけではなく、おたがいに伝えあうこと。

【事柄】さまざまなできごとのようすや物事の内容のこと。

【迷惑】人がしたことのために、いやな気持ちになったり困ったりすること。

【普段】日常、いつも。

【実際に】考えるだけではなく、本当に。

【姿勢】心がまえ、態度。

【具体的】ものごとが誰にでもわかるはっきりした形をもってしめされているようす。

【一生懸命】本気で物事にうちこむこと。

2 印象の良い身だしなみ

❶ あなたの第一印象で会社のイメージが決まります。第一印象が悪くならないように気をつけましょう。

❷ 第一印象を良くするには、身だしなみが大切です。

❸ 男性、女性ごとの身だしなみのチェックポイントをしっかり覚えましょう。

(1) 第一印象は重要

人と会うときの第一印象はとても重要です。第一印象が良ければ良いイメージが残り、悪ければ悪いイメージがしばらく続きます。あなたの印象が会社のイメージを決めることにもなりますから、第一印象が悪くならないように気をつけましょう。

次のような悪いイメージにならないように気をつけましょう。

- バサバサの髪
- 濃い化粧
- 洋服の汚れ
- 長い爪
- 無表情
- だらしない態度
- 猫背

- 小さな声
- 早口
- はっきりしない言葉
- 相手を見ない
- 自分のことばかり話す
- 返事をしない
- 相手の話をすぐに否定する

(2) 身だしなみに気をつける

第一印象を良くするには、身だしなみが大切です。日本人のなかには、仕事で会う相手を身だしなみで判断する人もいますので、身だしなみのマナーはしっかり覚えておきましょう。

(3) 身だしなみチェックポイント

男性の場合

【頭髪】 肩にかからない長さに短く切りそろえましょう。不潔な印象を持たれないよう、髪や肩にフケがないようにしましょう。

【 顔 】 日本ではヒゲをきれいに剃ったほうが良い印象を持たれます。

【服装】 清潔感がある服装を心がけ、乱れたり汚れたりしていないかチェックしましょう。

【におい】 日本人はにおいをとても気にします。入浴をして体を清潔に保ち、においの強い食事による口臭や体臭に気をつけましょう。

女性の場合

【頭髪】 派手なヘアカラーは印象が良くないのでやめましょう。

【 顔 】 化粧は女性の身だしなみの一つですが、厚化粧は良くありません。ビジネスの場ではナチュラルメイクを心がけましょう。

【服装】 派手な服装は職場のイメージに合いません。服装の色は控えめにして、アクセサリーもつけすぎないようにしましょう。

【におい】 においに敏感な人もいるので、香水はつけすぎないよう注意しましょう。

身だしなみチェックシート

〈頭髪〉

- □ 寝ぐせはついていませんか
- □ 不自然な色に染めていませんか
- □ あいさつの時にじゃまになりませんか
- □ 前髪が長すぎませんか

〈顔〉

- □ 男性→ヒゲはそってきましたか
- □ 女性→化粧は濃くありませんか
- □ 口臭はないですか

〈手〉

- □ 爪は長すぎませんか
- □ 爪あかがたまっていませんか

〈服装〉

- □ えりやそで口は汚れていませんか
- □ シミ・シワはありませんか
- □ 下着が見えていませんか

〈足元〉

- □ 靴が汚れていませんか
- □ かかとはすり減っていませんか
- □ 男性→靴下は全体と調和がとれていますか
- □ 女性→ストッキングは破れていませんか

確認問題② ○か×で答えてください

1. 〔　〕第一印象が良ければ良いイメージが残り、悪ければ悪いイメージがしばらく続く。
2. 〔　〕日本人は、男性のヒゲについてあまり気にしない。
3. 〔　〕お風呂に入っていないときは、香水をつけたほうがいい。

出てきたことばの意味

【第一印象】 初めて会ったときに強く感じたこと。
【清潔感】 見た目に汚れがなく、きちんとした感じ。
【控える】 やらないようにする。

気づいたことを、メモしましょう。

確認問題①の答え	1. × 2. ○ 3. ○

3 気持ちの良いあいさつ

❶ 会社ではそれぞれが役割分担をして、チームで仕事をしています。そのため協力して働くことが重要です。

❷ あいさつはコミュニケーションの基本です。あいさつのポイントは、明るく、元気に自分からすることです。

❸ あいさつをするときは笑顔を忘れないようにしましょう。笑顔であいさつをすれば、あなたの印象はとても良くなります。

(1) チームワーク向上のポイント

① 自分から先に、さわやかなあいさつをする。
② 状況に合わせた適切な敬語を使う。
③ 相手を尊重した態度で接する。

(2) あいさつのポイント

あいさつはコミュニケーションの基本です。良いあいさつが人間関係を築くきっかけになります。明るく元気に自分からあいさつをしましょう。声が小さくて、相手が聞き取れないあいさつは、あまり意味がありません。

あ	明るく元気に
い	いつも
さ	(自分から) 先に
つ	続けて一言

(3) 笑顔の重要性

あいさつをするときは、笑顔を忘れないようにしましょう。笑顔であいさつをすれば、あなたの印象はとても良くなります。あなたが笑顔なら、必ず相手も笑顔になるはずです。

【笑顔チェック】

・目尻は下がっていますか？
目が笑っていると、つられて口も
微笑んでいるような形になります。

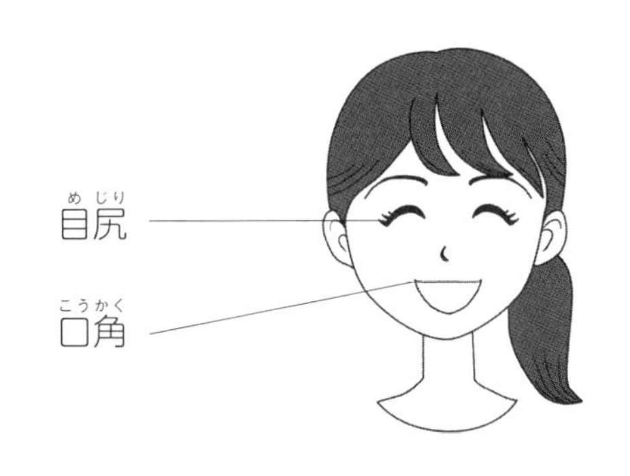

・口角は上がっていますか？

(4) 基本的なあいさつの言葉

よく使うあいさつの言葉は次のとおりです。すべて基本的なものばかりですので、しっかり覚えましょう。

あいさつをするシーン	あいさつの言葉
朝に会ったとき	おはようございます
日中に会ったとき	こんにちは
夜に会ったとき	こんばんは
初めて会った人にあいさつをするとき	はじめまして、よろしくお願いします
職場で社内の人に会ったとき	お疲れさまです
職場で先に帰る人に言葉をかけるとき	お疲れさまでした
自分が先に帰るとき	お先に失礼します
職場で外出先から帰ってきたとき	ただいま帰りました ただいま戻りました

確認問題③　○か×で答えてください

1.〔　〕声が小さくて、相手が聞き取れないあいさつをしても、あまり意味がない。

2.〔　〕あいさつをするときの表情は、それほど重要ではない。

3.〔　〕職場で社内の人に会ったときは、「お疲れさまです」とあいさつをする。

出てきたことばの意味

【あいさつ】 人と会ったときや、別れるときに交わす言葉や動作。
【社内】 自分の会社の中。

確認問題②の答え	1. ○	2. ×	3. ×

4 お辞儀の基本

❶ 日本では、あいさつのときに握手ではなくお辞儀をします。

❷ お辞儀には、「会釈」「敬礼」「最敬礼」の３種類があります。

❸ 正しいお辞儀の仕方を覚えましょう。

日本では一般的に、あいさつのとき、握手ではなくお辞儀をします。世界には初めて会った人と握手をする国が多いですが、日本ではあまりありません。上半身を下げてお辞儀をすることで、相手に「あなたを大切に思っています」という敬意を伝えます。

(1) お辞儀の種類と使い方

お辞儀には3種類あり、状況に応じて使い分けます

①会釈（15度）
会社で人とすれ違うとき

「お疲れさまです」

②敬礼（30度）
お客様や上司に会ったとき

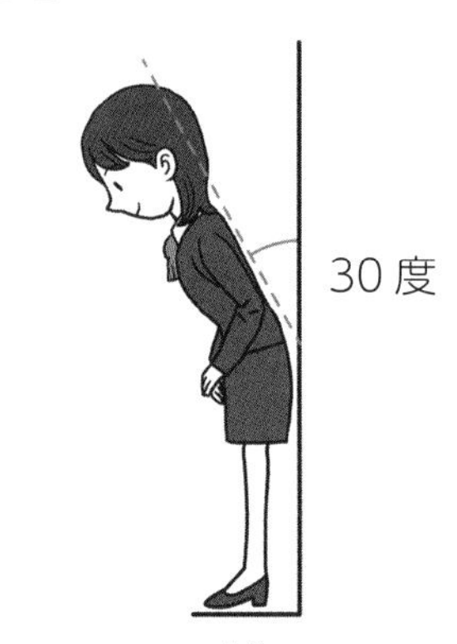

「よろしくお願いします」

③最敬礼（45度）
お礼を言うときや謝るとき、大事なお願いをするとき

「ありがとうございます」
「申し訳ございません」

（2）お辞儀の注意点

笑顔で、背筋を伸ばし、立ちどまってからお辞儀をしましょう。

確認問題④　○か×で答えてください

1. 〔　〕日本ではあいさつのときに握手をすることが多い。
2. 〔　〕お礼を言うときは、最敬礼のお辞儀をする。
3. 〔　〕お辞儀は立ちどまってする。

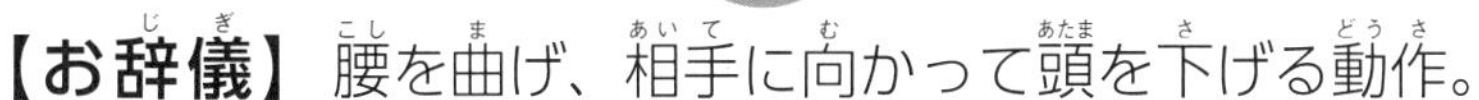

出てきたことばの意味

【お辞儀】 腰を曲げ、相手に向かって頭を下げる動作。
【握手】 お互いに手を握り合うあいさつの仕方。
【敬意】 尊敬する気持ち。
【上司】 同じ会社で立場が上の人。

確認問題③の答え	1.○　2.×　3.○

5 敬語の種類と使い方

❶ 日本では、敬語を使って仕事をするのが基本です。正しい敬語を身につけましょう。

❷ 敬語には、尊敬語、謙譲語、丁寧語の３種類があります。

❸ ビジネスでよく使う敬語は、とくに正しく覚えましょう。

(1) 敬語の重要性

日本のビジネスでは、メールはもちろん、普段の会話でも敬語を使うのが基本です。敬語には、尊敬語、謙譲語、丁寧語の３種類があります。敬語を正しく使うことで、会社の人やお客様とのコミュニケーションがスムーズになります。ビジネスでは、尊敬語・謙譲語を使いますが、まずは丁寧語をしっかり身につけましょう。

(2) 敬語の種類

1. 尊敬語

相手を自分より高めることで、相手に尊敬の気持ちを表します。

2. 謙譲語

自分を相手より低めることで、相手に尊敬の気持ちを表します。

3. 丁寧語

言葉を丁寧に表現して、相手に敬意を伝えます。

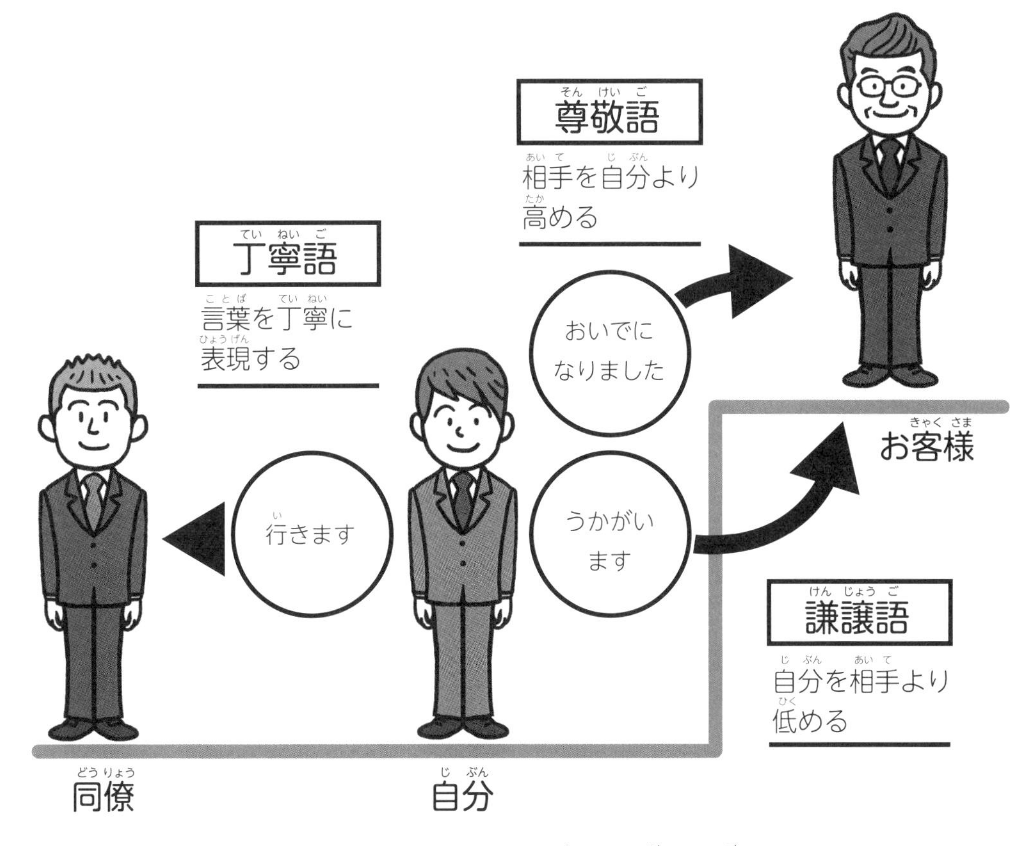

(3) ビジネスでよく使う敬語

次の敬語はビジネスでよく使います。

ことば	丁寧語	尊敬語	謙譲語
言う	言います	おっしゃる	申す、申し上げる
行く	行きます	いらっしゃる おいでになる	参る、うかがう
いる	います	いらっしゃる おいでになる	おる
見る	見ます	ご覧になる	拝見する
聞く	聞きます	お聞きになる	拝聴する、うかがう
する	します	なさる	いたす

確認問題⑤　○か×で答えてください

1. 〔　〕尊敬語は「自分を相手より低めることで、相手に尊敬の気持ちを表す敬語」である。
2. 〔　〕「○○さんに言った」の丁寧語は「○○さんに言いました」である。
3. 〔　〕「○○さんから聞いた」の丁寧語は「○○さんから聞いたよ」である。

出てきたことばの意味

【スムーズ】 ものごとがなめらかに進むこと。
【高める】【低める】 立場や位置を上げる・下げる。
【尊敬】 人格や行いが優れていると思い敬うこと。
【丁寧】 注意深く、礼儀正しくすること。

気づいたことを、メモしましょう。

確認問題④の答え　1. ×　2. ○　3. ○

1 社内の人とのコミュニケーション

❶ 仕事中は上司や先輩に報告・連絡・相談をしましょう。
❷ 報告・連絡・相談をすることで、トラブルを防ぐことができたり、上司から信頼されるようになります。
❸ 上司や先輩には、必ず敬語で話すようにしましょう。

(1) 上司とのコミュニケーション

仕事中は上司や先輩に報告・連絡・相談をするのが基本です。報告・連絡・相談をすることで、上司とのコミュニケーションも良くなります。

1. 報告

仕事は指示・命令に始まり報告で終わります。

報告とは、その仕事が終わったときに、事実を正確に伝えることです。指示された仕事が完了したら、すぐに報告します。しかし、ミスやクレームなどの悪い知らせは早く伝えるようにします。

2. 連絡

連絡とは、仕事に関係する情報のやりとりを行うことです。仕事に関係することは、周囲の人に伝えるようにしましょう。お互いが情報を知ることで、仕事がスムーズに進みます。

3. 相談

相談とは、問題や課題について正しい対応ができるように、上司・先輩の考えや、仕事のやり方を教えてもらうことです。自分で解決しようとすることも大切ですが、一人で悩まないで上司や先輩に相談して力を借りることも必要です。

報告・連絡・相談をしていると次のような良いことがあります。

① トラブルを防ぐことができる。

② チーム全体が働きやすくなる。

③ 上司から信頼されるようになる。

一日に一回は上司に声をかけて、報告・連絡・相談をするようにしましょう。

(2) 先輩とのコミュニケーション

日本では、たとえ年齢が下でも、入社が1年でも早ければ先輩になります。先輩は、仕事以外でもあなたの相談に乗ってくれる大切な存在です。尊敬の気持ちを持って接すれば、あなたが困ったときに助けてくれるはずです。

(3) 言葉づかい・態度

上司や先輩と話すときは、必ず敬語を使いましょう。敬語で話さないと、コミュニケーションが悪くなることがあります。

また上司や先輩と親しくなったからといって、あまりなれなれしくしてはいけません。

【言葉づかいの例】

●上司・先輩から名前を呼ばれたとき

（すぐに「はい」と返事をして、ペンとメモを持って上司のところへ行く）

「はい。何かご用でしょうか」

●相談や聞きたいことがあるとき

「相談したいことが（教えてほしいことが）あるのですが、今よろしいでしょうか」

●上司や先輩より先に帰るとき

「お先に失礼します」

【好感をもたれるマジックフレーズ】

次の3つの言葉は職場の人から好感をもたれる魔法の言葉です。

① ありがとうございます

② はい、かしこまりました（仕事を頼まれたとき）

③ 失礼します

（人の前を通ったり、エレベーターに乗るとき、部屋に入るときなど）

確認問題⑥　○か×で答えてください

1. 〔　〕報告・連絡・相談をしていると、チーム全体が働きやすくなる。
2. 〔　〕日本の会社では、年齢が上の人が先輩になる。
3. 〔　〕上司や先輩でも、親しくなった後は敬語で話さなくてもいい。

出てきたことばの意味

【先輩】同じ会社に先に入った人。

【信頼】信じて頼る気持ち。

【なれなれしい】失礼に感じるほど親しそうにふるまうこと。

確認問題⑤の答え　1. ×　2. ○　3. ×

2 社外の人とのコミュニケーション

❶ お客様のほうが立場は上なので、失礼のないよう、笑顔を絶やさず、敬語で接しましょう。

❷ いつも親切・丁寧に対応することで、お客様の満足度は上がります。

❸ 取引先には丁寧な話し方や態度が基本です。

(1) お客様とのコミュニケーション

日本では、どんなときもお客様のほうが立場は上と考えます。お客様には、つねに笑顔を心がけてください。また、必ず敬語を使って、失礼のないように対応しましょう。

(2) お客様の満足度を上げるために

日本の会社の多くは、お客様の満足度を上げることを目指しています。お客様に親切・丁寧に対応することで、お客様が満足し、良い関係ができます。

(3) 取引先とのコミュニケーション

取引先とは、あなたの会社と取引のある人や会社のことをいいます。取引先は大切なビジネスパートナーですので、丁寧な話し方や態度が基本です。

(4) 言葉づかい・態度

お客様や取引先には、必ず敬語で話しましょう。敬語で話さないと、クレームになったり、その後の取引に影響が出たりすることがあります。

また、お客様と親しくなったからといって、あまりなれなれしくしてはいけません。

確認問題⑦　○か×で答えてください

1. 〔　〕お客様にはつねに笑顔で対応するようにする。
2. 〔　〕お客様にはいつも親切・丁寧に接することで、お客様の満足度が上がる。
3. 〔　〕取引先に対しては、親しくなった後は敬語で話さなくてもいい。

出てきたことばの意味

【社外の人】 自分の会社以外の人。

【ビジネスパートナー】 いっしょに仕事をする相手・会社。

確認問題⑥の答え　1. ○　2. ×　3. ×

1 ビジネス文書の基本

❶ ビジネス文書とは、仕事のときにつくる書類やメールなどの文書のことです。

❷ ビジネス文書には、社内向けと社外向けがあります。

❸ ビジネス文書は敬語で書くのが基本です。また、日本語や書かれた内容に間違いがあってはいけません。必ずチェックしましょう。

(1) ビジネス文書の種類

ビジネス文書とは、仕事のときにつくる書類やメールなどの文書のことです。ビジネス文書には、社内向けと社外向けがあります。社内向け文書は同じ会社の人に連絡をするときに、社外向け文書はお客様に情報を伝えるときにつくります。

(2) ビジネス文書の書き方の基本

ビジネス文書は敬語で書くのが基本です。また、日本語や書かれた内容に間違いがあると、文書の信頼性がなくなってしまいます。内容に間違いがないか、必ずチェックしましょう。

(3) 文書のチェック

文書をつくったら、次のことを上司にチェックしてもらい、社内やお客様に送る前によく確認しましょう。

① 日本語の漢字や文法は正しいか。
② 日付や住所は正しいか。
③ 相手の名前や肩書きは正しいか。
④ 文章は読みやすく、わかりやすいか。

確認問題⑧　○か×で答えてください

1. 〔　〕ビジネス文書には、社内向けと社外向けがある。
2. 〔　〕ビジネス文書は、必ずしも敬語で書かなくてもいい。
3. 〔　〕ビジネス文書の内容が間違っていると、信頼性がなくなってしまう。

出てきたことばの意味

【信頼性】内容がどのくらい正しいかの度合い。
【肩書き】職場での地位や役職。

確認問題⑦の答え　1.○　2.○　3.×

2 ビジネスメールの注意点

❶ ビジネスメールには形式があります。敬語を使って書きましょう。

❷ 相手がすぐに読むとは限らないため、急ぐ用件のときは使いません。

❸ 会社のメールは仕事で使うものです。プライベートの用件に使うのは控えましょう。

(1) ビジネスメールを書くときの注意点

メールは、送った相手がすぐに読むとは限らないため、急ぐ用件のときは使いません。また、書くときは次のことに気をつけましょう。

① メールアドレスは正確に入力する。

② 件名はわかりやすく具体的に書く。

× 「お疲れさまです」「○○（名前）です」

○ 「会議についてのご連絡」

③ あいさつ文を書いてから、自分を名のる。

社内：お疲れさまです。○○（名前）です。

社外：いつもお世話になっております。

○○（会社名）の○○（名前）です。

④ メールを受け取ったら、できるだけ24時間以内に返信をする。

(2) 本文は形式にそってわかりやすく書く

ビジネスメールの本文は、次の形式にそって書くことが基本です。

① 宛名：相手の会社名・名前を書く「株式会社○○　□□様」

② 始めのあいさつ：「いつも大変お世話になっております。××です。」

③ 用件：わかりやすく、簡潔に書く

④ 終わりのあいさつ：「今後ともよろしくお願いいたします。」など

⑤ 署名：会社名・部署名・名前・メールアドレス・住所・電話番号など

(3) ビジネスメールの例

●社内返信メール例

宛先：＊＊＊＊@ｘｘｘｘｘｘ.co.jp

件名：Re: 会議場所変更のご連絡

＊＊＊＊　様

お疲れさまです。○○です。

ご連絡ありがとうございました。
会議場所の変更についてかしこまりました。
よろしくお願いします。

□□課　○○　○○
○○○○@ｘｘｘｘｘｘ.co.jp

確認問題⑨　○か×で答えてください

1.〔　〕急ぐ用件のときも、お客様への連絡はメールを使う。

2.〔　〕ビジネスメールには、わかりやすい件名を書く。

3.〔　〕ビジネスメールを書くときは、「こんにちは」から書き始めるのが良い。

出てきたことばの意味

【用件】行うべき仕事や、伝えるべきことがら。

【簡潔】短く、すっきりまとまっていること。

気づいたことを、メモしましょう。

確認問題⑧の答え	1.○　2.×　3.○

確認問題⑨の答え	1. ×　2. ○　3. ×

第3編
ビジネスマナー

仕事や日常生活では、守らなければならないさまざまなルールやマナーがあります。ここでは、みなさんが最低限覚えておいたほうがよいマナーを学んでいきます。

1 社会人のタブー

❶ 遅刻しそうなときは、10 分前までに、メールや電話で関係者に連絡しましょう。

❷ 会社を休むときは、始業時間までに必ず上司に連絡しましょう。

❸ 仕事中は、仕事と関係のない行動をしないようにしましょう。

社会人として、守らなければいけない約束ごとがいくつかあります。社会で働くうえで守らなければならない重要なルールでもありますので、よく理解しておきましょう。

(1) 遅刻をしない

始業時間や約束の時間に遅れそうなときは、10分前までに、メールや電話で関係者に連絡しましょう。

(2) 無断欠勤をしない

会社を休むときは、周りに迷惑をかけないよう、始業時間までに必ず上司に連絡します。無断で休むと、後からペナルティを与えられることもあります。

また、連絡したときは、その日に予定していた仕事をどうするか上司と相談しましょう。

遅刻や欠勤をしたら、後日出社したときに、上司や同僚へお詫びやお礼の言葉を伝えるようにしましょう。

(3) 仕事と関係のない行動をしない

仕事中に、仕事と関係のない電話やメールに対応してはいけません。私用で外出することもやめましょう。

同僚とのコミュニケーションは大切ですが、長時間にわたって仕事に関係のない話をすることは控えたほうがよいです。

確認問題① ○か×で答えてください

1. 〔　〕遅刻の連絡は前もってする必要はなく、後から理由を告げればいい。
2. 〔　〕遅刻や欠勤をした場合は、後日、上司や同僚にお詫びすべきである。
3. 〔　〕同僚とのコミュニケーションは大切なので、ずっとおしゃべりをしていてもいい。

出てきたことばの意味

【社会人】 家庭や学校の保護から自立して、会社で働き、生活している人。
【始業時間】 会社で仕事を始める時刻。
【無断欠勤】 会社の人に知らせず、会社を休むこと。
【私用】 仕事に関係のない自分の用事のこと。
【同僚】 同じ職場で働く、立場が同じくらいの人。

気づいたことを、メモしましょう。

2 時間を守る

❶ 日本では、約束の時間に１分でも遅れると遅刻になります。
❷ 日本では、遅刻を繰り返す人が重要な役割を任されることはありません。
❸ 電車が遅れて約束の時間に間に合いそうにないときは、メールや電話で必ず相手に状況を伝えましょう。

日本人は時間に厳しいといわれます。それは、相手に迷惑をかけないようにするためです。日本で仕事をするうえで、時間を守ることは大切なマナーです。始業時間には仕事が始められるよう、早めに出勤しましょう。

(1) 日本人の時間に対する考え方

日本では、約束の時間に１分でも遅れると遅刻になります。またどんな理由があっても、時間に遅れた人は悪く評価されます。つねに、時間に余裕をもって行動しましょう。

(2) 時間を守れない人への評価

日本では、時間を守れない人は信頼されません。遅刻を繰り返す人が、チャンスをつかんだり、重要な役割を任されたりすることはありません。

(3) 電車やバスが遅れたときの対応

電車やバスが遅れて約束の時間に間に合いそうにないときは、メールや電話で必ず相手に状況を伝えましょう。たとえ自分のせいで遅れたわけではなくても、待たせた相手にお詫びの言葉を言うのが基本です。

確認問題②　○か×で答えてください

1. 〔　〕約束の時間に、2、3分遅れるくらいなら許される。
2. 〔　〕日本では時間を守れない人は信用されない。
3. 〔　〕電車が遅れて遅刻しそうなときは、相手に状況を伝えれば謝らなくていい。

【評価】 人や物の価値を決めること。

確認問題①の答え	1. ×　2. ○　3. ×

3 機密保持の重要性

❶ 機密情報とは、秘密にしなければならない会社の情報のことです。

❷ 機密情報が外に漏れると、会社に損害が出たり、トラブルになったりします。

❸ 会社のパソコンは外に持ち出さない、会社の情報は社外の人に話さないようにします。

(1) 機密情報とは

機密情報とは、秘密にしなければならない会社の情報のことです。お客様の個人情報や、会社の売上情報などがこれにあたります。機密情報が外に漏れると大きな問題になりますので、機密情報の扱いには十分に注意しましょう。

(2) 情報が漏れるとどうなるか

機密情報が外に漏れると、会社に損害が出たり、トラブルになったりします。また、機密情報を漏らした社員は大きな責任を負わされ、会社を辞めさせられることもあります。

(3) 機密情報を外に漏らさないために

機密情報を外に漏らさないために、次のことを心がけましょう。

① 会社のパソコンや資料、USBメモリを社外に持ち出さない
② 仕事の情報は、社外の人に話さない
③ 仕事の情報は、SNSで発信しない
④ パソコンにセキュリティソフトをインストールする

確認問題③　○か×で答えてください

1. 〔　〕機密情報には、お客様の個人情報や会社の売上情報などがある。
2. 〔　〕機密情報を漏らした社員は、会社をやめさせられることもある。
3. 〔　〕会社のパソコンは、家で仕事をするときは持ち出してもいい。

出てきたことばの意味

【個人情報】 名前、住所、生年月日、メールアドレスなどの情報のこと。
【損害】 物をこわしたり、利益を失ったりすること。
【セキュリティソフト】 コンピューターウイルスを取り除くためのソフトウェア。

確認問題②の答え	1. ×	2. ○	3. ×

4 ハラスメント

❶ ハラスメントとは「嫌がらせ」を意味する言葉です。
❷ 会社で起きるハラスメントは、「セクハラ」「パワハラ」「マタハラ」が代表的です。
❸ ハラスメントを受けたときは、すぐに周りの人に相談しましょう。

(1) ハラスメントとは

ハラスメントとは、日本語で「嫌がらせ」を意味する言葉です。人を困らせたり、相手が嫌がることを言ったりすることです。会社で起きるハラスメントにはいろいろな種類がありますが、代表的なものは3つあります。自分がハラスメントをしないことはもちろん、ハラスメントを受けたときはすぐに周りの人に相談しましょう。

(2) ハラスメントの種類

1. セクシャルハラスメント(セクハラ)

性的な嫌がらせのことです。男性が女性の体を触るようなケースがこれにあたります。
女性から男性に対するセクハラも起こっています。

2．パワーハラスメント（パワハラ）

強い立場を利用して行われる嫌がらせのことです。上司が部下をどなりつけて、苦痛を与えるケースがこれにあたります。

3．マタニティーハラスメント（マタハラ）

妊娠をした女性に対して、「あなたのせいで迷惑している」と言ったり、会社を辞めるように迫ったりするケースがこれにあたります。

受けた人が不快や恐怖を感じれば、ハラスメントになります。

（3）ハラスメントを受けたとき

「やめてください」「いやです」と、自分の気持ちを伝え、会社の相談担当者や信頼できる上司に相談しましょう。

確認問題④　○か×で答えてください

1. 〔　〕セクハラとは性的な嫌がらせのことをいう。
2. 〔　〕妊娠に対するハラスメントを「パワハラ」という。
3. 〔　〕ハラスメントを受けたときは、「いやです」と自分の気持ちを伝えることが重要である。

出てきたことばの意味

【どなる】 大きな声でしかること。
【苦痛】 体や心が感じる痛みや苦しみのこと。
【不快】 いやな気持ちになること。

気づいたことを、メモしましょう。

確認問題③の答え　1. ○　2. ○　3. ×

5 トラブルへの対応

❶ 日本の会社の組織は、役職の序列が決まっているのが普通です。

❷ トラブルが起きたときは、素早い初期対応が重要です。

❸ トラブルが解決した後は、そのトラブルが二度と起こらないよう、再発防止策を考えます。

(1) 会社での指示の出し方

日本の会社の組織は、社長→役員→部長→課長→係長→社員というように、役職の序列が決まっているのが普通です。一般的に序列が一つ高い人から指示が出されます。

(2) 報告する相手

トラブルが発生したときは、序列が一つ高い上司に早めに報告しましょう。

(3) 初期対応が重要

トラブルが起きたときは、上司に指示を求め、素早く対応します。素早く初期対応をすることで、問題が大きくなるのを防ぐことができます。

(4) 再発を防ぐために

トラブルが解決した後は、そのトラブルが二度と起こらないように対策を考えます。再発防止策は、上司やほかのメンバーとも共有しましょう。

確認問題⑤　○か×で答えてください

1. 〔　〕日本の会社では、社長が係長に指示を出すことが多い。
2. 〔　〕初期対応が悪ければ、問題が大きくなってしまう。
3. 〔　〕再発を防ぐための行動は、上司や他のメンバーには伝えなくてもいい。

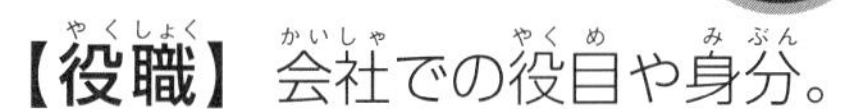

【役職】会社での役目や身分。
【序列】順序や順番のこと。
【初期対応】最初に行う対応のこと。
【再発防止策】それが二度と起こらないようにするための対策。
【共有】ほかの人と一緒に情報を知っておくこと。

確認問題④の答え　1.○　2.×　3.○

1 パソコンや携帯電話の取り扱い

❶ 仕事中に、私用のメールをしてはいけません。会社のパソコンは仕事のために使うものです。

❷ 会社のパソコンで、仕事に関係のないウェブサイトを見てはいけません。

❸ 会議中は携帯電話をマナーモードに設定し、音が鳴らないようにしておきましょう。

(1) 仕事中に私用でメールをしない

仕事中に私用のメールをしてはいけません。とくに会社のパソコンは、仕事のために使うものですから、個人の用事で使わないようにしましょう。会社のパソコンで私用のメールをした人に、罰則を与える会社もあります。

(2) 仕事に関係のないウェブサイトを見ない

会社のパソコンで、仕事に関係のないウェブサイトを見てはいけません。会社のパソコンは仕事のために使うものですから、仕事に必要がない場合は、インターネットを利用しないようにしましょう。

(3) 会議中は携帯電話をマナーモードにする

会議中は、携帯電話をマナーモードに設定し、音が鳴らないようにしておきます。もし音が鳴ってしまったら、すぐに音を消し、周りの人に迷惑がかからないようにしましょう。

確認問題⑥　○か×で答えてください

1. 〔　〕休憩時間であれば、会社のパソコンで私用のメールをしてもいい。
2. 〔　〕仕事に必要がない場合は、インターネットを利用してはいけない。
3. 〔　〕会議中は携帯電話が鳴らないよう、マナーモードに設定しておく。

出てきたことばの意味

【罰則】 罰を与えるルールのこと。

【マナーモード】 電話がかかってきたときに、音が出ない設定。

確認問題⑤の答え	1. ×	2. ○	3. ×

2 電話のマナー

❶ 電話の応対は声だけのコミュニケーションのため、通常のコミュニケーション以上に、相手への気づかいが必要です。

❷ 電話をかけるときは、相手が忙しい時間やお昼休みの時間を避けましょう。

❸ 電話がかかってきたら3コール以内に出て、まずは自分の名前を名乗ります。

電話の応対は声だけのコミュニケーションのため、相手の表情やしぐさが見えません。そのため、通常のコミュニケーション以上に相手への気づかいが必要です。

(1) 電話をかけるときの注意

① 忙しい朝と夕方の時間帯は避けて、10時から16時の間にかけるようにしましょう。
② お昼休みの時間帯（12時～13時）もできるだけ避けましょう。
③ 電話をかける前に、話す内容をまとめておきましょう。

(2) 電話を受けるときの注意

① 電話に出るときは、メモの用意をして、3コール以内に出るのが基本です。
② 話の中でわからないことがあったら、必ずその場で質問するようにしましょう。

(3) 電話中にしてはいけないこと

電話の相手が不快な思いをしないよう気をつけましょう。

① 飲食をしながら話してはいけません。
② 相手より先に、電話を切らないようにしましょう。

(4) 社内の電話応対の例

電話を受ける	電話をかける
はい、○○課の○○(名前)です	
	営業部の佐藤です
お疲れさまです	
	鈴木さんはいらっしゃいますか
鈴木さんですね お待ちください	
申し訳ありません 鈴木さんは外出しています	
	そうですか・・・・
こちらから電話しましょうか	
	いいえ、こちらからかけ直します
かしこまりました ではよろしくお願いします	

確認問題⑦　○か×で答えてください

1. 〔　〕用件は早く伝えたほうがいいので、始業時間の9時に電話をかけるべきである。
2. 〔　〕飲み物を飲みながら、電話をしないほうがいい。
3. 〔　〕話が終わったら、すぐに電話を切ってもいい。

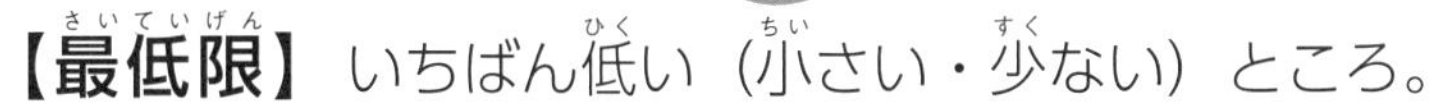

出てきたことばの意味

【最低限】　いちばん低い（小さい・少ない）ところ。
【時間帯】　一日のうちの、ある時刻からある時刻までの幅の時間。

確認問題⑥の答え	1. ×	2. ○	3. ○

3 名刺交換

❶ 名刺交換には、自分のことを知ってもらう、自分の連絡先を伝える、相手のことを知る、という3つの目的があります。

❷ 名刺は丁寧に扱い、両手で受け取ります。

❸ 名刺を渡すときは立ち上がって行います。

日本では、仕事で初めて会った人とは、まず名刺を交換するのが普通です。名刺交換にも守らなければならないマナーやルールがあります。

(1) 名刺交換の目的

名刺交換には次のような目的があります。

① 自分のことを知ってもらう。

② 自分の連絡先を伝える。

③ 相手のことを知る。

名刺交換は、相手とのコミュニケーションの第一歩といえます。

(2) 名刺を受け取るときの注意

① 名刺は両手で受け取る。

② 名刺交換の後に打ち合わせをするときは、相手の名刺はすぐにしまわず、机の上に置いておく。

(3) 名刺を渡すときの注意

① 名刺交換は立ち上がって行う。

② 名刺をテーブル越しに渡さない。

③ 自分の名前が相手から読める向きで渡す。

④ 名刺は名刺入れから出す。
(ポケットや財布から出さない)

確認問題⑧　○か×で答えてください

1. 〔　〕名刺交換には、自分のことを知ってもらう、相手のことを知るといった目的がある。
2. 〔　〕名刺交換の後、相手の名刺はすぐにしまう。
3. 〔　〕名刺交換は、座ったまま行ってもいい。

出てきたことばの意味

【名刺】 名前や会社名、住所などが印刷された小さな紙。
【連絡先】 連絡を取るための電話番号や住所。

確認問題⑦の答え　1. ×　2. ○　3. ×

4 上座と下座

❶ 席次とは、どの席に誰が座るかという座席の順番のことです。

❷ その場所の中で、最も良い席を上座といい、目下の人が座る席を下座といいます。

❸ 会議室、応接室、タクシーなど場所ごとに席次がありますので、それぞれしっかり覚えましょう。

ビジネスにおいて守らなければならないルールの一つに「席次」があります。席次とは、どの席に誰が座るかという座席の順番のことです。席次を守らないと、相手から「失礼な人」「ルールを知らない人」と思われてしまうので注意しましょう。

(1) 上座と下座とは

その場所で最も良い席を「上座」といいます。通常、上座には目上の人やお客様が座ります。これに対し、目下の人やおもてなしをする人が座る席が「下座」です。通常は、入口に最も近い席が下座となります。

入口から最も遠い席が上座で、役職の一番高い人がこの席に座ります。席次は役職の高い人から順番に、1→2→3→4→5→6となります。

(2) 会議室の席次

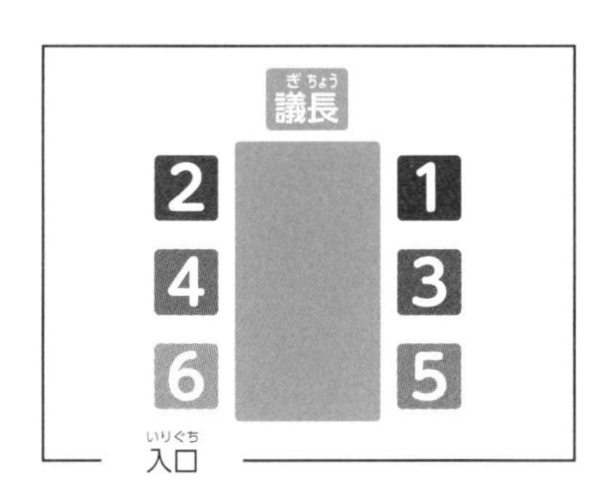

(3) 応接室の席次

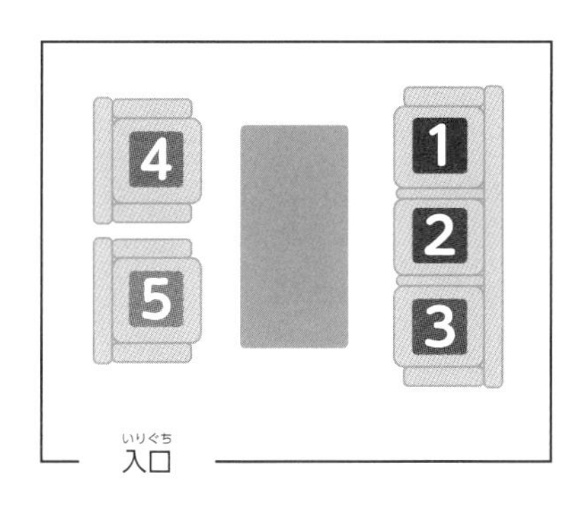

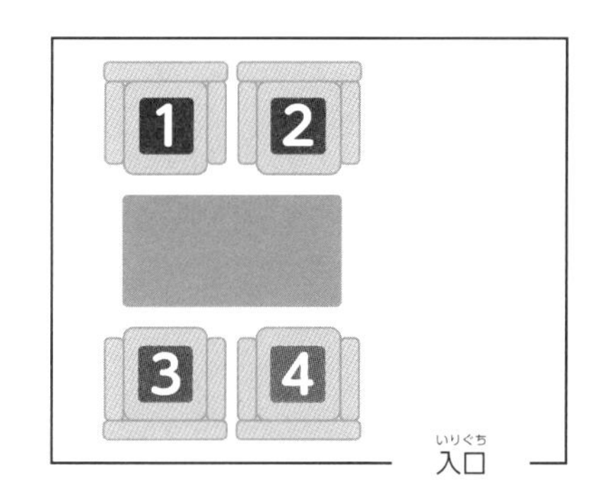

(4) タクシーの席次

タクシーの場合、運転手の後ろが上座で、助手席が下座になります。後ろの座席に3人座るときは、真ん中に一番目下の人が座ります。

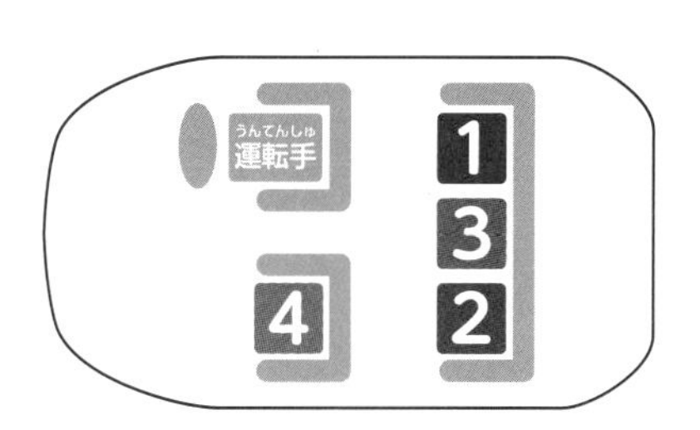

確認問題⑨　○か×で答えてください

1. 〔　〕席次を守らないと、相手から「失礼な人」「ルールを知らない人」と思われる。
2. 〔　〕会議室の場合、入口から最も遠い席が上座になる。
3. 〔　〕タクシーの場合、助手席が上座になる。

出てきたことばの意味

【目上】【目下】 自分より年齢や立場が上の人（目上）、下の人（目下）。

気(き)づいたことを、メモしましょう。

確認問題⑧の答え　1. ○　2. ×　3. ×

5 郵便物

❶ おもな郵便物には、はがき・手紙、宅配便、現金書留、レターパックがあります。

❷ はがきの料金は決まっていますが、手紙の料金は大きさと重さによって変わります。

❸ 郵便局には「ゆうパック」という宅配便のサービスがあります。

仕事で利用する郵便物の内容について、よく理解しておきましょう。

(1) はがき・手紙

はがきの料金は決まっていますが、手紙の料金は、定形外の場合、大きさと重さによって変わります。日本のどこに送っても料金は同じです。

はがきや手紙を送るときは、切手を貼ってポストに投函するか、郵便局に持っていきます。

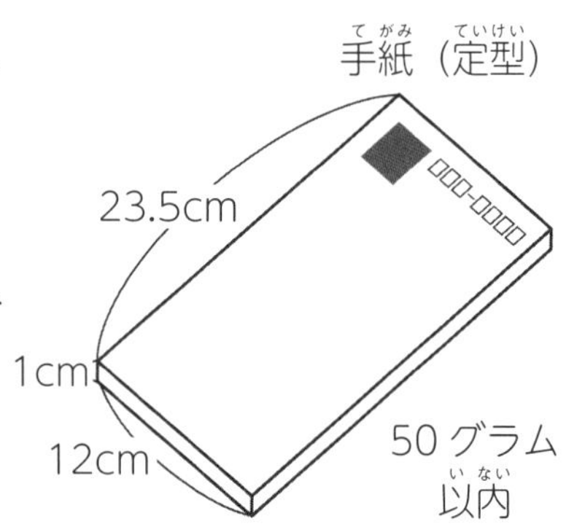

(2) 宅配便

荷物を送るときは、さまざまな会社が行っている宅配便サービスを利用するのが一般的です。たとえば郵便局には、「ゆうパック」というサービスがあります。宅配便の料金は、重さと大きさ、送る場所によって決まります。

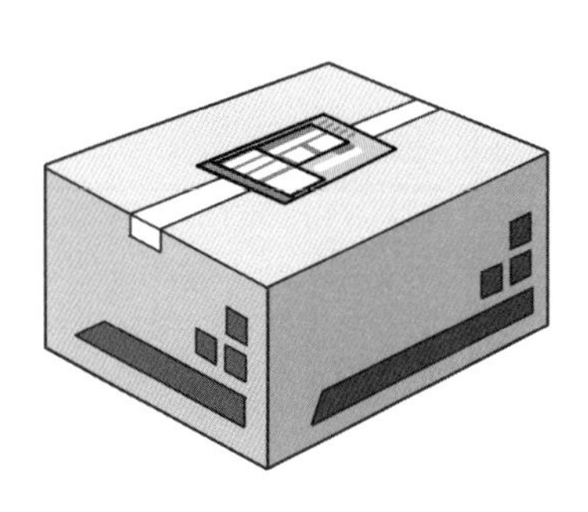

(3) 現金書留

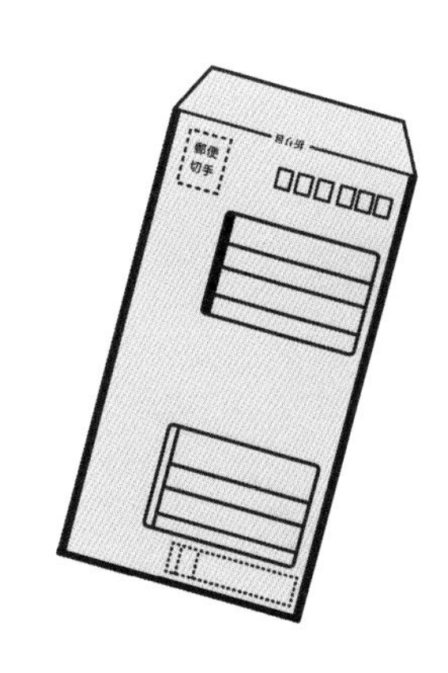

郵便で現金を送る方法を「現金書留」といいます。現金を手紙や宅配便などで送ることは認められていません。

(4) レターパック

郵便局が行っているサービスです。専用の封筒を使って、A４サイズ・重さ４キロまでの品物を送ることができます。日本のどこへ送っても料金は同じです。

確認問題⑩　○か×で答えてください

1.〔　〕手紙の料金は、重さに関係なく同じである。
2.〔　〕現金を送るときは、現金書留を利用しなければならない。
3.〔　〕レターパックは、送り先によって料金が異なる。

出てきたことばの意味

【投函】 はがきや手紙をポストに入れること。
【専用】 ある目的だけに使うこと。

確認問題⑨の答え	1.○　2.○　3.×

6 提出書類の知識

❶ 提出書類の書き方にもルールやマナーがありますので、しっかり覚えておきましょう。

❷ 書類を提出するときは、提出期限を守る、日本語や書き方を間違えない、といった点に注意しましょう。

❸ 書き方がわからないときは、必ず担当者に確認するようにしましょう。

日本で生活していると、仕事やプライベートでさまざまな書類の提出を求められることがあります。提出書類の書き方にもルールやマナーがあります。

(1) 会社の提出書類

会社に提出する書類には、たとえばタイムカード、有給休暇届、残業届、報告書、住所変更届、退職届などがあります。そのほかにも、会社ごとにさまざまな書類の提出を求められることがあります。

(2) 日常生活の提出書類

外国人のみなさんが、日常生活で書類を提出する場面はさまざまですが、たとえば、出入国在留管理庁に「在留資格変更許可申請書」を提出したり、市役所に「転出届」や「転入届」を提出したりするようなケースがあります。

(3) 提出書類の注意

書類を提出するときは、次のことに注意しましょう。

① 決められた提出期限を守る。

② 日本語を間違えないようにする。

③ 書き方や記入するところを間違えないようにする。

④ ハンコが必要なものは、押し忘れないようにする。

(4) 書き方がわからないとき

書き方がわからないとき、自分で勝手に判断して書くとトラブルになることがあります。わからないときは、提出先の担当者に聞きましょう。

確認問題⑪　○か×で答えてください

1.〔　〕書類を提出するときは、決められた提出期限を守るようにする。

2.〔　〕ハンコを押す必要があっても、持っていなければ押さなくてよい。

3.〔　〕書き方がわからないときは、提出先の担当者に聞く。

出てきたことばの意味

【有給休暇】 会社から給料が支払われる休暇（休み）のこと。

【提出期限】 書類を出す日にちのデッドライン、締切りのこと。

【ハンコ】 申し込みや受け取りを示すための名前のスタンプ。

確認問題⑩の答え	1. ×	2. ○	3. ×

1 食事のマナー

❶ 食事のマナーを守らなければ、周りの人に不快な思いをさせます。

❷ 日本では「はし」で食事をすることが多いため、はしのマナーはとくに重要です。

❸ 食事中に、くちゃくちゃ音を立てたり、タバコを吸ったりするのは控えましょう。

(1) 食事のマナーの重要性

ビジネスでは、お客様や社内の人と食事をすることがよくあります。食事中にマナーを守らないと、周りの人が不快な思いをします。

(2)「はし」のマナー

日本では「はし」で食事をすることが多いため、はしのマナーはとくに重要です。

【はしの持ち方】

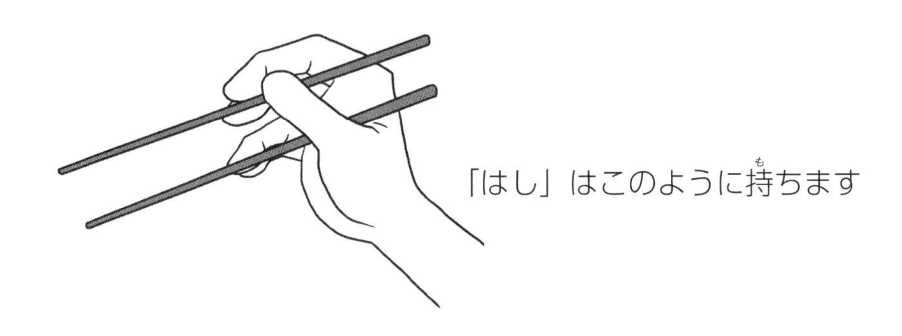

【良くないはしの使い方】

●「迷いばし」

はしを動かしながら、何を食べるか迷うこと。

●「寄せばし」

食器をはしで自分のほうに寄せること。

●「刺しばし」

食べ物をはしで刺して取ること。

(3) 食事中にしてはいけないこと

1. 音を立てる

「くちゃくちゃ」と音を立てながら食べると、周りにいる人を不快にさせます。食事をしながら話しをするときは注意しましょう。

2. げっぷをする

食事中のげっぷは、品のない行為として嫌がられますので、控えましょう。

3. タバコを吸う

食事中に相手の前でタバコを吸うのはマナー違反です。タバコを吸いたいときは、喫煙場所に移動して吸いましょう。

確認問題⑫　○か×で答えてください

1.〔　〕「寄せばし」とは、食器をはしで自分のほうに寄せることをいう。
2.〔　〕日本では音を立てながら食事をするのが普通である。
3.〔　〕食事中にタバコを吸うときは、喫煙場所に移動する。

出てきたことばの意味

【品のない行為】 見苦しくいやらしい行い。
【違反】 法令や契約を守らないこと。

確認問題⑪の答え	1.○	2.×	3.○

2 近隣住民へのマナー

❶ 騒音は、音を出している本人にそのつもりがなくても、近隣の住民に迷惑をかけていることがあります。

❷ 自分の地域のゴミ出しのルールを確認し、必ずルールに従うようにしましょう。

❸ 家から出される悪臭を嫌う人は多いので注意しましょう。

日本には、近隣の住民に迷惑をかけないよう守らなければならないルールやマナーがあります。マナーを守らないと、トラブルになることもありますので十分に注意しましょう。

(1) 騒音を立てない

騒音は、音を出している本人にそのつもりがなくても、近所に住む人に迷惑をかけていることがあります。テレビの音は小さめにし、洗濯機や掃除機を使うときは、できるだけ早朝・深夜を避けましょう。

お祈りの習慣がある人は、部屋から声が漏れないように気をつけましょう。

(2) ゴミ出しのルールを守る

ゴミ出しのルールは地域によって違います。ゴミの分け方、ゴミ出しの時間帯や場所について、自分の地域のルールを確認し、必ずルールに従うようにしましょう。

(3) 悪臭を出さない

日本人には、においを気にする人がたくさんいます。家から出るタバコやペットのにおいを嫌う人も多いので注意しましょう。

また、家の中にゴミを置いておくと悪臭がします。ゴミは家の中にためないようにしましょう。

確認問題⑬　○か×で答えてください

1. 〔　〕近隣の住民に迷惑をかけないように、テレビの音は小さめにしたほうがいい。
2. 〔　〕ゴミ出しのルールは、日本のどの場所でも同じである。
3. 〔　〕家から出るタバコやペットのにおいを嫌う人は多い。

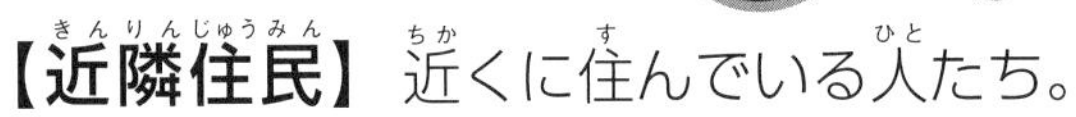

出てきたことばの意味

【近隣住民】近くに住んでいる人たち。
【騒音】うるさくていやな気持ちになる大きな音。
【地域】文化、行政、地理の特徴などで区切られた土地。
【悪臭】いやな気持ちになるにおい。

気づいたことを、メモしましょう。

確認問題⑫の答え	1. ○　2. ×　3. ○

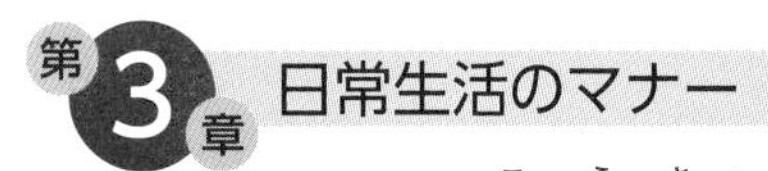

3 公共のマナー

❶ 歩きながらタバコを吸うと、トラブルが起きやすいので注意しましょう。

❷ 歩きながらスマートフォンを操作するのは危険です。

❸ 自転車に乗っているときのスマートフォンの操作は絶対にやめましょう。

日本人は、公共の場所をきれいに使うことを心がけています。日本で生活するうえでは、公共のルールやマナーをしっかり守らなければなりません。次の5つはとくに重要な公共のマナーです。

(1)「歩きタバコ」をしない

タバコの先端が、周りの人にあたると危ないので、歩きながらタバコを吸ってはいけません。地域によっては、歩きながらタバコを吸うと罰金を取られることがあります。タバコは決められた喫煙場所で吸いましょう。

(2) ゴミの「ポイ捨て」をしない

ペットボトルや吸い殻などのゴミは、必ずゴミ箱や灰皿に捨てましょう。周りにゴミ箱などがないときは、ゴミを路上に捨てず、家に持ち帰りましょう。

(3) 行列に割り込まない

順番を待つ列があるときは、行列の一番後ろに並びましょう。けっして割り込みをしてはいけません。

(4) エスカレーターでは列を乱さない

エスカレーターでは歩かずに、手すりをもって乗るようにします。エスカレーターでは急ぐ人のために片側をあけて立つ場面も多く見られますが、歩いたり走ったりすると、バランスを崩して転倒するなどの事故を引き起こすことがあります。エスカレーターでは列を乱さないで乗るようにしましょう。

(5)「歩きスマホ」をしない

歩きながらスマートフォンを操作することはとても危険です。他の人にぶつかって、ケガをさせてしまうことがあります。スマートフォンは、人の迷惑にならないところで、立ち止まって操作しましょう。

(6) 自転車に乗ってスマートフォンを操作しない

自転車に乗っているときにスマートフォンの操作をすることは、さらに危険です。歩行者にぶつかり大きな事故につながることがありますので、絶対にやめましょう。

確認問題⑭　○か×で答えてください

1.〔　〕歩きながらタバコを吸うと、地域によっては罰金を取られることがある。

2.〔　〕周りにゴミ箱がない場合は、ゴミを路上に捨ててもいい。

3.〔　〕歩きながらスマートフォンを操作すると、他の人にぶつかってケガをさせることがある。

出てきたことばの意味

【公共】 個人ではなく、社会全体に関係すること。

【吸い殻】 タバコを吸ったあとの残りカス。

確認問題⑬の答え	1.○　2.×　3.○

4 交通機関でのマナー

❶ 日本では、電車やバスの中で、電話で話をすることが禁止されています。

❷ 通勤電車やバスの中で食事や化粧をすることもマナー違反です。

❸ お年寄りや妊婦、体の不自由な人を見かけたら、席を譲りましょう。

通勤電車やバスに乗るときも、私たちが守らなければならないルールがあります。次の4つは、交通機関のマナーとしてはとくに重要です。

(1) 電話で話をしない

大きな声で話すと周りに迷惑をかけるため、日本では電車やバスの中で、電話で話をすることが禁止されています。

(2) 食事や化粧をしない

通勤電車やバスの中で食事や化粧をすると、食べかすが散らばったり、においが充満したりして周りの人に迷惑をかけます。そのため、車内で食事や化粧をすることはマナー違反となります。

(3) 席を譲る

優先席はもちろん、お年寄りや妊婦、体の不自由な人を見かけたら、席を譲りましょう。

(4) イヤホンの音量に気をつける

イヤホンの音量は、周りの人に聞こえないぐらい小さくしましょう。

確認問題⑮ ○か×で答えてください

1. 〔 〕電車やバスの中では、メールやゲームもしてはいけない。
2. 〔 〕通勤電車やバスの中で食事をすることは、マナー違反となる。
3. 〔 〕お年寄りを見かけたら、席を譲るようにする。

出てきたことばの意味

【交通機関】 電車やバス、飛行機などの乗り物やその施設。

【禁止】 してはいけないと命令すること。

【充満】 ある範囲の空間に、あるものがいっぱい満ちること。

【優先席】 電車やバスにある、お年寄りや体の不自由な人などが優先して座れる席。

【妊婦】 妊娠している人。

気(き)づいたことを、メモしましょう。

確認問題⑭の答え　1.○　2.×　3.○

確認問題⑮の答え　1. ×　2. ○　3. ○

執筆者
「社会人常識マナー検定 Japan Basic」制作委員会

監修
公益社団法人 全国経理教育協会

社会人常識マナー 検定 Japan Basic 第1版

1版1刷発行●2022年3月18日

発行所

株式会社エデュプレス

〒336-0025 埼玉県さいたま市南区文蔵1-4-13　Tel. 048(866)1066　Fax. 048(862)7055

https://edupress.net/

発売所

株式会社清水書院

〒102-0072 東京都千代田区飯田橋3-11-6　Tel. 03(5213)7151　Fax. 03(5213)7160

https://www.shimizushoin.co.jp/

印刷所

株式会社エデュプレス

ISBN978-4-389-43059-7 C2036

乱丁、落丁本はお手数ですが当社東京営業所宛にお送りください。
送料当社負担にてお取り替えいたします。

[東京営業所]

〒101-0032 東京都千代田区岩本町2-4-10　Tel. 03(3862)0155　Fax. 03(3862)0156